키성장 내비게이션

김태성 지음

BOOKK

키성장 내비게이션

발행 2020년 11월 25일
저자 김태성
펴낸이 한건희
펴낸곳 주식회사 부크크
출판사등록 2014. 07. 15(제2014-16호)
주소 서울특별시 금천구 가산디지털1로 119 SK트윈테크타워 A동 305호
전화 1670-8316
E-mail info@bookk.co.kr
ISBN 979-11-372-2460-5

www.bookk.co.kr

키성장 내비게이션

김태성 지음

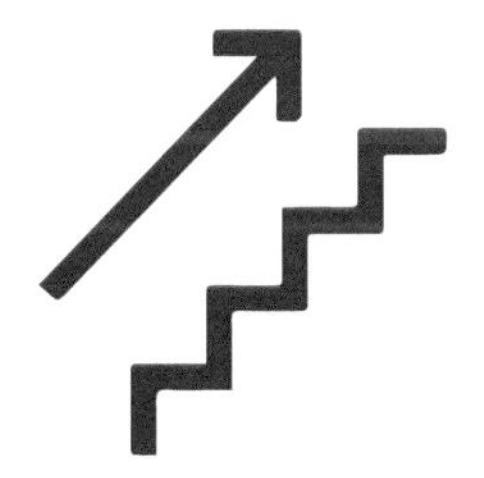

BOOKK

차례

인삿말/
저자소개

해당 저자는 키 성장 솔루션 프로그램 브랜드 회사를 7년간 연구/운영 해왔으며 해당 지식을 토대로 선한 영향력을 행하고자 유튜브 '미스터더커' 채널을 통해 그간의 노하우를 오픈하였다.

운동부터 기타 질환을 개선하는 방법까지 키 크는 방법의 모든 노하우를 오픈하였지만 많은 사람들이 정보를 들어도 정확한 길을 이해하지 못해 이 책을 발간하게 되었다.

이 책에서는 저자가 유튜브에 공개한 키 크는 법 운동, 영양, 휴식, 스트레스 관리, 체형의 중요성, 장 건강과, 기타 질환까지 어떻게 본인 스스로가 찾아가면 되는지를 안내하는 지침서이다.

그래서 제목이 '키 성장 내비게이션'이다.

저자는 이 책을 쓰기에 앞서 가장 말하고 싶은 점은 이 책 이상의 진보된 키 성장 자료는 없다고 생각해도 무방하다고 전하고 싶다.

키 때문에 괴로워하는 많은 부모님들부터 본인 자신까지 꼭 필요한 지침서가 되길 바라며 시작하겠다.

1.

가장 중요한 원리

우리의 키라는 것은 한 가지 원리에 의해 발생되는 것이 아니다.

즉, 운동만 한다고 해서 키가 큰다? 또는 약을 먹는다고 해서 바로 키가 큰다는 개념이 아니라는 것이다.

그리고 더 앞서 나아가 많은 사람들은 뼈 길이에만 신경을 쓰지만 실제 우리가 '키가 큰다'는 의미는 뼈와 더불어 근육도 더 커지거나 길어져야 하고 그에 맞춰 모든 장기나 피부 또한 커져야 된다.

그래서 이제부터는 단순히 뼈 길이의 성장으로만 생각하지 말고 전체적으로 커진다고 개념을 두 길 바란다.

미리 앞서 말하고 싶은 점은 “다리만 길어졌으면 좋겠다" 라는 생각으로 키 크는 법을 고려한다면 애초부터 포기하길 권장한다.

우리 신체는 그렇게 반응하지 않는다는 사실을 기억하고 시작해야 된다.

그리고 이런 신체의 변화에는 많은 요인들이 필요한데 운동, 영양, 휴식, 스트레스 관리, 체형, 장 건강, 기타 질환까지 모든 요인이 척척 맞아야 되고 이 또한 어느 하나에서 잘못될 경우 원하는 만큼 키가 크지 못한다는 사실을 이해해야 된다.

이해를 돕기 위하여 한 가지 예시를 들겠다.

예컨대 우리가 살고 있는 집을 이사 간다고 가정해보자. 이사 가기 위하여 여러 가지 준비물이 필요하다. 이사 갈 집부터 시작해서 이삿짐을 포장할 박스 그리고 물건을 옮길 인부들 물건을 다른 지역으로 옮길 차량까지 해서 물건을 내릴 사다리차도 필요하다.

이때 위 준비물 중 하나라도 부족하다면 어떤 사태가 벌어질까?

이사를 가는 게 매우 어려워지거나 이사를 가지 못할 수도 있다.

물론 이사 와 키 성장은 다르지만 원리의 이해를 돕기 위하여 예시를 가정하였다.

이처럼 우리의 키 성장도 같다. 어느 하나를 잘하고 있더라도 한 가지 영역에서 잘못될 경우 키 크는 게 더디거나 안 크는 경우가 발생된다.

이제 이 책을 통해 가장 중요한 요인부터 하나씩 찾아갈 수 있도록 안내하겠다.

방법은 간단하다 이 책에서 이야기하는 순서대로 하나씩 찾아가면 본인의 문제를 해결할 수 있다.

그럼 서론을 끝내고 시작하도록 하겠다.

2.

운동

키 크는 대 있어 가장 큰 요인인 운동.

운동을 하지 않으면 일단 클 수 있는 여지 자체가 없어진다.

그렇다고 우리는 운동을 안 하고 있는 건가?? 그건 아니다.

이유는 운동이란 개념을 너무 크게 두지 않고 우리의 신체 움직임 자체를 운동이라고 칭하겠다.

그럼 운동은 어떤 원리로 키 성장에 영향을 줄까?

많은 키 성장업체 또는 병원에서는 오로지 간단하게 '성장판'으로만 이야기한다.

이 글을 읽는 분이 키 성장이 간절하다면 주변에서 "성장판을 자극해야 큰다." "성장판이 핵심이다." 이런 이야기 주구장창 들어봤을 것이다.

사실 이는 너무 단순화 시킨 개념이라고 생각하면 될 것 같다.

성장판은 우리 뼈 윗부분에 위치한 곳이라고 보면 되는데 사실상 성장판을 직접적으로 자극하기란 불가능할뿐더러 아직까지 성장판이 확실한 키 성장의 원인이라고 보기엔 과학적으로 발달하지 않았다.

그럼 성장판 자극이 운동의 목적이 아니라면 도대체 어떤 원리로 우리는 운동을 해야 되는 걸까??

바로 인간의 존재 이유부터 살펴보면 될 것 같다.

사실상 우리의 인간은 이 세상에 생존하기 위해 존재한다.

뭐 종교적으로 더 큰 의미는 제외하고 과학적인 의미로 이야기를 하겠다.

그래서 우리의 뇌는 우리의 신체를 생존시키기 위해 부단히 노력한다.

이때 우리를 생존시키기 위해 일정하게 유지하는 것을 '항상성'이라고 이야기하는데 항상성이란 간단히 말해 생존하기 위해 온도든 체중이든 일정하게 유지시키려고 하는 것이다.

그렇기에 우리들의 단순한 활동을(학교를 가거나 학원을 가거나) 하는 움직임들은 적응이 되어 있기에 그것에 맞춰 항상성이 유지되고 신체가 쉽게 변하려고 하지 않는 것이다.

이유는? 생존에 유리해야 되기 때문에....

믿지 못해도 우리의 신체 원리는 그렇다.

그렇기에 이 단순한 활동 이상의 움직임

즉, 본인의 체력 한계로 갔을 때 우리의 뇌는 생존의 위기를 느끼게 되고 치유 과정을 통해 생존에 더 유리하게 만들려고 신체를 단단하게 만들거나 더 크고 강하게 만드는 것이다.

그래서 단순한 움직임만으로 한계를 가기엔 어려움이 있기 때문에 우리가 운동이라는 것을 통해 신체의 한계를 느끼게 하고 이런 과정을 통해 체력이 늘어나고 신체가 더 커지는 이유가 발생되게 된다.

우리의 신체는 사실상 이러한 비정상(?) 적인 행위를 별로 좋아하지 않는다.

이유는 신체가 더 발달되어 에너지 소비가 많다면 생존에 불리하기 때문이다.

그래서 나이가 들수록 대사과정이 점차 느려지게 되고 생존에 유리하도록 우리 몸을 조절하게 된다.

그렇기에 신체는 에너지 낭비가 큰 불필요한 근육을 퇴화시키거나 뼈를 약하게 만드는 현상이 발생되는 것이고 이것을 우리는 '노화'라고 이야기한다.

하지만, 우리는 지금 석기시대가 아니고 먹거리도 풍족하기 때문에 에너지 걱정은 하지 않아도 된다.

그렇기 때문에 우린 운동이라는 행위를 통해 원하는 만큼 키가 커지고 강하게 만들 수 있다.

위 과정을 설명하는 것은 신체 원리를 설명하기 위해 이야기한 것이다.

그래서 간단히 표현을 하자면 운동을 통해 근육의 파열 또는 신체의 자극이 일어나면서 본인의 체력 한계에 도달하게 되고 뇌에서는 생존의 위기를 느끼게 되어 뇌하수체라는 기관에서 신호를 신체에 보내게 된다.

이게 우리가 알고 있는 호르몬이라는 것이고 남성호르몬, 여성호르몬, 성장호르몬까지 다양한 호르몬들이 생성되어 신체로 전달되게 된다.

그 신호를 받은 신체는 치유라는 과정을 통해 근육과 뼈, 장기 등의 모든 신체 세포가 커지고 강해지게 되는 것이다.

그래서 키 성장은 단순하게 성장판 자극이 아닌 이러한 원리라고 생각하면 될 것 같다.

그럼 이쯤 되면 궁금해질 것이다.

운동도 굉장히 다양하다. 본인이 좋아하는 축구가 있을 것이고 키 성장이라면 왠지 점프 운동을 해야 될 것도 같고 아니면 줄넘기를 해야 될 것 같은데 도대체 어떤 운동을 얼마큼 해야 되는 건가?라는 생각 말이다.

우선 정답부터 이야기하자면 축구든 점프든 어떤 운동이든 앞서 원리를 설명했기에 본인의 체력 한계에 도달 시킬 수 있다면 키 성장에 도움 된다.

다만, 저자가 항상 강조하는 점은 효율성에 문제가 있다고 이야기하고 싶다.

예를 들어 줄넘기라는 운동을 1000회 하는 것보다 100미터 단거리 달리기를 하는 것이 본인의 신체를 한계로 몰아붙이기에 좋고 달리기보다도 효과적인 것이 팔굽혀펴기 30회를 하는 것이다.

어째서 그렇냐고?? 본인이 지금 직접 해보면 느낄 것이다.

줄넘기 1000회 하고 나서의 느낌과 팔굽혀펴기 30회를 하고 나서의 느낌말이다.

“더 이상 못하겠어”라는 생각은 어느 쪽이 강하게 드는가?

그리고 더욱 아이러니 한건 두 종목의 운동을 하는 데 있어든 시간은 매우 다르다.

줄넘기 1000회를 한 사람은 30분이 소요되었을 수도 있고 그 이상 소요되었을 수도 있다

하지만 팔굽혀펴기 30회는 본인의 마음먹기에 따라 1분밖에 소요되지 않았을 수도 있다.

이처럼 많은 사람들이 시간=운동효과라고 생각하는데 실상 그렇지 않다.

단 5분을 운동하더라도 어떤 운동을 임팩트 있게 진행했는지가 중요하다.

우리 몸은 로봇처럼 시간을 길게 했다고 운동의 효과가 늘어나는 게 아니기 때문이다.

앞서 말한 것처럼 체력 한계에 도달해야 변화해야 된다는 신호가 흘러나온다는 이야기다.

모든 사람들이 아무런 공부도 일도 안 하는 백수라면 줄넘기 1000회든 만 회든 하라고 추천하겠지만 우리는 실상 그렇지 못하다.

짧은 시간 내에 효과적인 임팩트를 가져가야 하고 이때 가장 효과적인 운동이 팔굽혀펴기와 같은 보디 웨이트트레이닝이라는 것이다.

인간이 생각한 운동 중 가장 효과적으로 신체에 자극을 주고 체력을 기를 수 있는 운동은 보디 웨이트와 더욱더 과부하를 적용한 웨이트트레이닝이다.

하지만 아직도 중력에 의해 “역도하면 안 큰다” “근력운동하면 안 큰다."라고 주장하는 사람은 애석하지만 이 책을 덮어도 좋다.

너무 얼토당토하지 않는 이야기고 특히 운동에 대한 이해가 부족한 사람들이 만들어낸 어이없는 주장이라고 생각하면 된다.

그래서 필자의 말을 이해한다면 당장이라도 근력운동을 시작하길 바란다.

그럼 어떻게 운동을 하면 되냐??

간단하다 우선 아무것도 생각하지 말고 팔굽혀펴기 든 턱걸이든 보디 웨이트를 10개부터 시작해서 1개씩 늘려나가라

왜 1개씩 늘려야 하냐?? 앞서 설명한 이유와 같다 매일매일 내가 할 수 있는 체력의 한계에 도달하기 위해서다.

이것이 점진적 과부하의 원리다.

간혹 이 말을 들은 사람들은 그럼 혹시 “1000일 뒤에는 1000개 해야 하나요?” 하는데..

물론 아니다. 근력운동은 처음 10개가 쉽지 어느 정도 한계에 도달되면 매일 1개씩 늘리기란 매우 매우 어렵고 불가능한 일이다.

내 체력적 한계에 도달하거든 하루에 1개씩이 아닌 일주일에 1개 그것도 힘들다면 한 달에 1개씩 더 늘려가는 방향으로 목표를 잡으면 된다.

시간은 중요하지 않다. 우선 이러한 개념부터 잡고 시작하길 바란다.

단 5분을 운동하더라도 말이다.

그 후에는 체형 챕터에서 본인의 체형에 유리한 운동을 설명하겠지만 그것을 따지기 전에 먼저 아무 보디 웨이트 운동이나 바로 시작하는 것이 중요하다!

자 여기까지 왔다면 그다음 영양에 대해 알아보도록 하겠다.

3.

영양

운동을 시작했다면 이제 영양이 중요하다.
많은 분들이 간과하는 부분이 영양이다.

영양이 무척이나 중요한 부분은 우리의 에너지도 영양이지만 우리의 신체를 구성하는 세포는 우리가 섭취하는 영양을 통해 형성되고 우리가 원하는 성장호르몬조차도 영양섭취가 제대로 돼야 재료로 이용해서 만들어지게 된다.

키가 작으신 분들을 보면 하나같이 영양이 매우 부실했거나 좋지 않다.

한 가지 예로 어느 분이 "운동선수들은 운동을 매일 하는데 작은 선수는 뭐냐?"라고 질문하시는 경우가 있는데 바로 영양의 문제 이거나 추후 챕터에서 이야기될 스트레스에 관련된 문제일 가능성이 높다.

자 그렇다면 여기까지 가볍게 이해 를 하고 음식 섭취를 어떻게 해야 되는지? 같이 체크해보도록 하자.

우선 매우 중요한 것은 필수 3대 영양소인 탄수화물, 단백질, 지방의 섭취이다.
왜? 우리는 필수 3대 영양소라고 이야기할까?

매우 매우 무척 중요하고 이 영양소가 결핍되면 쉽게 말해 죽기 때문이다.
즉, 생존할 수 없다는 이야기다.

그래서 가장 먼저 생각할 것은 탄수화물, 단백질, 지방의 올바른 섭취이다.
결핍이라고 하니까 "요즘에 결핍이 될까?"라고 생각하겠지만 너무 발달된 식품 영역 때문에 영양의 "불균형"이라는 명목하에 한쪽이 결핍되기 쉽다.

그럼 탄수화물부터 이야기하겠다.

탄수화물은 우리 신체의 '에너지 역할'을 한다.

차량의 기름과 같다고 생각하면 쉬울 것 같다.

섭취한 탄수화물은 쪼개져 '당'이라는 것으로 변하고 이 당이 우리 에너지로 이용된다고 보면 된다.

탄수화물의 종류는 복합탄수화물부터 단순 탄수화물까지 다양한데 쌀, 빵, 떡, 면, 설탕, 꿀, 과당까지 해당한다고 보면 된다.

저자의 책 '소금과 같은 지방'을 보면 우리는 탄수화물을 너무 많이 섭취하고 있다 밥 1공기로 줄여야 한다고 이야기하지만 이것은 건강에 관련된 의미고 사실상 키 성장에서는 조금 다르게 가져가야 된다.

즉, 어느 정도 탄수화물 섭취가 필요하다는 이야기다.

탄수화물을 섭취하게 되면 '인슐린'이라는 호르몬이 분비되게 되고 인슐린이라는 호르몬의 우리의 신체 세포에 당을 저장시켜 주면서 단백질도 효과적으로 공급하게 된다.

그렇기에 너무 적은 탄수화물 섭취를 할 경우 인슐린 호르몬 분비도 너무 적어 효과적인 키 성장을 이룰 수 가없다.

하지만 이걸 또 오해해서 탄수화물 섭취를 왕창하는 경우가 있는데 이렇게 될 경우에는 비만을 초래하게 되고 비만을 초래한다면 호르몬의 불균형이 발생될 수 있다.

즉, 인슐린 호르몬이 반대로 과하게 분비되게 된다면 인슐린 저항성이 발생되게 되고 비만으로 이어진다.

또 하나의 연구 내용을 살펴보자면 인슐린 호르몬이 너무 과하게 분비될 경우 성장호르몬은 반대로 감소하게 된다는 연구 결과가 존재한다.

그렇기에 쉽게 설명하자면 너무 과잉 탄수화물 섭취는 호르몬의 균형을 깬다고 생각하면 쉽다.

그럼 얼마만큼의 탄수화물 섭취가 적당한 것인가?

성장기에 키를 위해서라면 정상적인 삼시 세끼 식사 그리고 1끼에 밥 1공기 식사가 적당한 것이고 이외에 섭취하는 간식류 (빵, 과자, 떡, 설탕 함유 음식) 등을 추가로 섭취한다면 너무 과하게 섭취하는 것이다.

그래서 빵을 먹었다면 공깃밥 섭취를 거르는 게 탄수화물 섭취의 적당량이지만 정상적인 세끼 식사를 한다면 간식류에서 추가 탄수화물 섭취를 금지할 것을 권장 드린다.

그리고 괜찮다고 이야기했지만 빵, 과자 등과 같은 정제된 탄수화물은 뒤에 설명할 비타민, 미네랄 결핍을 만들 수 있고 또 다른 문제를 발생시킬 수 있기에 정상적인 식사를 하는 것이 당연히 좋은 것이다.

자 그럼 탄수화물을 이해했다면 단백질로 넘어가겠다.
우리의 단백질은 키 성장에 있어 매우 매우 매우 중요하다.

이유는 우리의 세포 즉, 호르몬, 뼈, 근육, 머리카락, 손톱 모두 단백질을 재료로 해서 만들어지기 때문이다.

일각의 시각에서는 단백질은 단순하게 "근육 만드는데 필요하지 않아요?"라고 이야기하는데

우리가 키가 큰다는 것은 다시 말해 근육 자체가 길어지는 것이고 뼈, 장기 등등 모두 자라야 된다.

그렇기에 성인이 근육을 만드는 것보다 더 많은 단백질을 필요로 한다.

적당한 섭취량은 본인의 체중을 g으로 바꿔 곱하기 3 정도가 하루 섭취 권장량이다.

예) 50kg = 50g x 3 = 단백질 150g 하루 권장 섭취량

이것을 채우기 위해 많은 분 들이 검색 사이트를 통해 음식의 단백질 함량을 보고 이런 질문을 추가적으로 하신다.

"단백질 채우기 너무 힘든 대요?" 필자는 이렇게 이야기하고 싶다.

가장 최적화된 것이 저 정도 섭취량이라는 것이지 본인이 섭취할 수 있을 만큼 섭취해도 괜찮다.

꼭 저렇게 채워야만 키가 큰다는 의미가 아니다.

저 정도 섭취했을 때 가장 최적화가 된다는 의미다.

경제적으로든 여러 가지 어려움이 있을 수 있기에 최대한 본인이 활용할 수 있는(급식 등등)음식을 이용하여 단백질을 채워주고 물론 식물성 단백질이냐 동물성 단백질이냐에 따라 차이가 존재할 순 있지만 그걸 따지기 전에 먼저 채우는 연습부터 해야 된다.

그리고 "어느 음식 섭취가 효과적인가요?"라고 묻는 대답에는 본인에게 맞는 음식을 섭취하는 게 좋다.

두부가 잘 맞는다면 두부를 돼지고기가 잘 맞는다면 돼지고기를 애용하길 바란다.

잘 맞는지? 안 맞는지? 확인은 본인이 섭취했을 때 거북하지 않고 설사하지 않으며 트러블이 발생되지 않는다면 잘 맞는 음식인 것이다.

물론 복통이나 설사가 음식이 상한 탓 은 아닌지?부터 체크하길 바란다.

그다음 “닭 가슴살 좋냐?”라는 질문에 지방에 관한 설명을 곁들어 설명하겠다.

지방 섭취는 키 성장에 왜 중요할까?

우선 지방에는 크게 설명하자면 세 가지가 존재한다.

불포화지방, 포화지방, 트랜스지방 여기서 우리가 키 성장을 위해 섭취해야 되는 필수 지방은 바로 불포화지방과 포화지방이다.

트랜스지방은 ‘경화유’라고 해서 아주 좋지 못한 지방이다.

보통 식물성지방(씨앗을 압축하여 만든 기름)을 튀김을 만들려고 가열하였을 때 높은 온도점에서 불안정해지며 트랜스지방으로 변환되게 되는데 이는 우리의 아주 심각한 질환을 발생 시 킬 수 있고 비만을 만들 수가 있다.

비만이 되면 체지방과 여성호르몬이 밀접한 영향이 있기 때문에 호르몬의 균형이 망가지게 되고 키가 안 크는 요인으로 발생될 수 있다.

그럼 우리가 섭취해야 되는 지방은 바로 포화지방과 불포화지방인데 우선 불포화지방을 설명하자면 불포화지방도 다 같은 불포화지방이 아니라 오메가3 성분을 섭취해야 세포의 벽을 형성할 수 있고 올바르게 성장할 수 있다.(오메가 6 불포화지방은 씨앗에 많이 함유된 지방)

오메가 6도 중요하지만 너무 과잉 섭취할 경우 우울증, 무기력함이 올 수 있다.
그리고 설명할 포화지방.

키 성장에 매우 매우 중요하다.
이유는 이 포화지방을 섭취해야 단백질이 효과적으로 흡수될 수 있고, 또한 이 포화지방이 신체로 들어가 '콜레스테롤'이라는 것으로 변환되게 되는데 콜레스테롤과 단백질을 재료로 하여 만들어지는 것이 여러분들이 알고 있는 성장호르몬이다.

즉, 콜레스테롤이 부족할 경우 성장호르몬도 안 만들어진다는 이야기다.

그리고 콜레스테롤이 피부밑으로 형성되어 햇볕을 쬐었을 때 '비타민D'라는 물질로 변환되게 되는데 콜레스테롤이 부족하다면 비타민D가 형성되지 않는다.

그리고 여러분들이 알고 있는 뼈의 구성 물질인 칼슘이 비타민D가 부족하게 될 경우 흡수되지 못하고 비타민D가 부족할 경우 담즙 분비가 제대로 안되어 단백질 흡수도 제대로 안 된다.

즉, 단백질을 아무리 채워도 밑 빠진 독에 물 붓기가 된다는 이야기다.

그래서 이 외에도 아주 많은 원인이 있지만 여기까지만 설명해도 "왜? 포화지방을 섭취해야 되는지" 이유가 명확할 것이다.

그래서 지방 함유가 적은 닭 가슴살 보다 포화지방, 콜라겐이 가득한 고기를 섭취하는 것이 단백질도 섭취하고 지방도 섭취하며 1석2조의 효과를 누릴 수 있는 것이다.

이것도 돼지든 소든 많이 함유되어 있으니 본인에게 맞는 음식을 드시면 더더욱 효과적이다.

자 이제 여러분들은 필수 3대 영양소인 탄수화물, 단백질, 지방에 대해 어떻게 섭취해야 되는지 이해했을 것이다.

그럼 다음이 바로 비타민과 미네랄이 합쳐져 필수 5대 영양소라고 이야기하는데 아직까지는 더 중요한 챕터가 남아 있고 비타민과 미네랄은 뒤 내용 장 건강, 기타 질환에서 다루도록 하겠다.

4.

휴식

여러분들이 순서대로 운동을 시작했고 영양도 올바르게 챙기고 있다면 이젠 휴식에 대해 고려해야 될 때다.

우선 휴식을 해야 되는 이유는 간단하다.

운동과 영양소(재료)들이 모였다면 휴식하면서 '회복'이라는 과정을 통해 신체를 치유하게 되고 신체가 더 강하고 크게 만들어지기 때문이다.

우선 휴식하면 떠오르는 것이 있다. 바로 잠이다.

예부터 어른들께서 밤에 일찍 자야 키 큰다는 이야기를 하셨을 것이다.

그 이유가 여기에 있다. 바로 잠을 자야지만 휴식이 되고 비로소 우린 신체를 치유하는 시간을 갖기 때문이다.

그래서 많은 사람들이 "잠은 몇 시부터 자야 돼요?" "몇 시간 자면 될까요?"라는 물음을 남기시는데 가장 알맞은 답은 몇 시부터 자냐? 몇 시간 자냐가 중요한 것이 아니라 본인이 잠을 잘 때 효과적으로 숙면을 취하냐? 문제이다.
아무리 오래 잠을 자도 '숙면 레벨'에 도달하지 못하면 호르몬 분비가 원활하지 않기 때문이다.

그렇기에 우리가 알고 있는 적어도 "저녁 10시엔 자야 된다." 이런 이야기는 그랬을 때 가장 어두운 밤이 되는 새벽 2~3시쯤 숙면 레벨에 도달되게 되고 치유 호르몬이 발생된다는 이야기를 하는 것이다.

그렇지만 현대에는 암막 커튼과 같은 것을 이용해 낮에

자더라도 새벽과 같은 환경을 조성할 수 있어 언제 자는지는 중요하지 않다.

즉, 숙면 레벨에 도달하게 만들어 주는 외부환경을 조성해 주는 것이 좋다.

숙면 레벨에 도달하게 만들어 주도록 반신욕을 이용해도 좋고 아로마 향초, 암막 커튼 등을 이용해서 최대한 잘 잘 수 있도록 외부환경을 맞춰주자

그리고 잠잘 때 핸드폰 만지는 습관 등은 숙면을 방해하기 때문에 본인이 스스로 고쳐야 된다.

이렇게 외부환경을 조성해도 잠이 너무 안 오거나 잠을 잘 못 자는 경우가 있는데 이럴 경우 1차적으로 내가 오늘 충분한 운동을 했는지? 여부를 먼저 확인해라

이유는 본인이 치유가 필요할 정도로 신체가 피곤하지 못해 잠이 안 오기 때문이다.

이런 이유가 아니라면..
내가 충분히 운동을 했다면...

다음 챕터로 넘어가도록 하자.
그다음 챕터에서 정답을 알 수 있을 것이다.

5.

스트레스 관리

스트레스 관리가 왜 중요할까?

스트레스를 받을 경우 당연히 올바른 휴식도 되지 않을 뿐더러 잠도 안 오고 무엇보다 스트레스가 비타민D의 결핍을 초래하게 된다.

앞선 영양에서 아무리 좋은 영양소를 섭취해도 스트레스가 너무 심하다면 밑 빠진 독에 물 붓기를 하고 있는 것이다.

스트레스는 우선 직역을 하자면 '자극'이라는 뜻인데. 여기서 말하는 스트레스는 말하지 않아도 좋지 않은 자극을 말하는 것을 알 것이다.

이 좋지 못한 자극은 두 가지 종류가 존재하는데 바로 '정신적인 스트레스'와 '육체적인 스트레스'가 있다.

이 두 가지 스트레스는 둘 중 하나만 받아도 다른 한 가지로 이어지게 되고 발생된 원인의 스트레스를 해결해야 올바른 스트레스 관리가 된다.

그럼 먼저 정신적인 스트레스는 말하지 않아도 알 것이다.
학업으로 받는 스트레스, 친구와의 스트레스, 가족관계에서 오는 스트레스 다양한 원인이 존재하지만 항상 기억해야 될 것은 모든 문제는 자신에게 있음을 기억해야 된다.

우선 자신 스스로가 자신의 문제를 인지하지 못한다면 영원히 스트레스에서 벗어날 수 없다.

그래서 그것의 원인이 나에게 있다고 생각하고 무거운 짐을 내려놓길 바란다.

그리고 자신에게 원인이 있다는 이유 중 하나가 생각의 문제도 있지만 영양소 보급이 원활하지 못할 때 자신의 생각을 통제하기 어려운 환경이 조성되기도 한다.

특히 이때 비타민, 미네랄 이야기가 강조되기 시작하는데 우리의 뇌에서 '세로토닌'이라는 호르몬과 '멜라토닌'이라는 호르몬은 스트레스를 조절해 주고 잠을 잘 이룰 수 있게 도와준다.

근데 간혹 이 호르몬 분비의 이상이 발생되었을 때 자신을 통제하기 어려울 정도의 스트레스를 받게 되고 이는 악순환으로 이어지게 되는데 이 호르몬들은 단순히 말하자면 비타민, 미네랄이 결핍되었을 때 자주 호르몬 분비에 문제가 발생된다.

우리가 섭취된 음식들의 필요한 비타민, 미네랄을 이용

해 뇌까지 전달되고 뇌에서 신경을 조절해 주는 호르몬들이 원활하게 분비되는데 그게 원활치 못하다는 이야기다.

그럼 이유가 뭘까?

앞서 말한 것처럼 정제 탄수화물 섭취 때문이다.

탄수화물을 곡류의 자연식품에서 섭취하게 된다면 자연스레 비타민, 미네랄을 충분히 섭취하게 되고 자연식품인 고기나 채소를 충분히 섭취하면 결핍될 일이 없다.

그런데 여러분들은 툭하면 떡볶이로 식사를 때우거나 간혹 빵 먹고 끝내거나 하는 정제 탄수화물의 섭취는 탄수화물을 충족시켜주기에 에너지는 있겠지만 비타민이나, 미네랄은 잘 흡수되지 않는 원료로 첨가되어 결핍을 초래하고 이런 악상황이 이어지게 된다.

혹시 본인이 따로 종합 비타민을 챙겨 먹는대도 그렇다고 생각하는가?

그렇다면 비타민 잘못이 아니라 본인이 섭취하는 보조식품이 이상하다고 생각하길 바란다.

같은 비타민제라도 '생체이용률'이라는 것 때문에 아예 흡수되지 못하는 보조 식품일 수도 있기 때문이다.

그렇다면 다른 제품으로 바꾸길 권장하고 이것보다도 올바른 자연식품 섭취가 중요하다는 점을 강조하고 싶다.

그리고 두 번째 육체적인 스트레스를 이야기하겠다.
육체적인 스트레스는 우리 신체가 받는 스트레스를 말한다.
정확히 말하면 '통증'이라고 표현하는 게 맞을 것 같다.

간혹 운동선수 중에서 자주 발생하게 되는 상황인데 운동이 너무 과한 경우가 있다.

이때 오버트레이닝이 될 경우 근육이 제대로 회복되지 못한 채 다시 운동을 해야 되는 악조건이 발생된다.

이러면 근육의 질이 너무 좋지 않게 되는데 여러분들 신체를 만졌을 때 딱딱하다면 근육의 질이 좋은 것이 아니라 근육의 질이 안 좋고 수축된 채로 계속 굳어 있다고 보면 될 것 같다.

(물론 성인과 성장기의 근육은 다르지만 그 성장기라도 할지라도 또래 친구들에 비해 다르단 이야기다.)

이렇게 될 경우 여러분들이 아는 아침 키 다르고 저녁 키 다른 현상이 비일비재하게 발생되고 추후에 통증으로 이어져 올바른 숙면이 되질 않고 정신적인 스트레스까지 이어지게 된다.

음.. 이렇게 이야기하면 여러분들이 “그럼 운동 과하게 하면 안되겠네요?” 하시는데 절대 아니다 과하게 하시길 권장한다.

이유는 운동선수들은 때론 자신이 원치 않는대도 직업이 되어 만하는 연습을 하기위해 운동하기 때문에 코치, 감독님에 의해 한계 이상의 운동을 이어나가서 오버트레이닝이 되는것이지 여러분들이 팔굽혀펴기 100개 했다고 그 정도로 오버트레이닝 되는 것이 아니다.

육체적 스트레스는 이런 경우가 대표적이기 때문에 충분한 회복을 위하여 마사지 또는 반신욕 그리고 충분한 영양소 공급이 중요하고 자주 스트레칭 하는것도 도움 될 수 있다.

이것 외에 일반인들이 발생 될 수 있는 육체적 스트레스는 체형에서 오는 것 인데 이 챕터는 다음으로 넘어가도록 하겠다.

6.

체형 관리

자 스트레스 관리까지 했는데도 키가 잘 안 큰다? 그렇기에 여기까지 왔을 것이다.

물론 체형 부분에서는 자신의 체형을 명확히 인지하고 있으면 키 외에도 많은 도움이 될 것 이니 집중하길 바란다.

키는 물론 부모님께서 허리가 아프시거나 목통증과 같이 잦은 통증이 있다면 통증 해소에도 도움 될 것이다.

우선 '체형'이라는 것은 우리 신체를 지탱하는 척추를 기준으로 신체의 생김새를 말한다.

우리의 육체적인 스트레스는 운동을 너무 과하게 한 '오버 트레이닝'이 덕분도 있지만 일반적으로는 보통 체형의 변형 때문에 오는 경우도 많다

"그럼 나는 정상 체형일까?"

아쉽게도 요즘 시대에는 편리해진 생활 덕분에(?) 정상 체형을 보기가 드물다.

체형의 판단 기준의 단락을 크게 나누면 세 가지로 나눌 수가 있다.

척추 측만, 후만, 전만증 이 세 가지로 크게 나뉠 수 있고 체형이 변형되게 된다면 우리 신체에 통증을 만들어 올바른 휴식도 안되고 영양 소화도 안되며 생활조차 힘들어지게 된다.

흔히 말해 디스크라는 질환도 이러한 체형 변화로 발생되었다고 생각해도 좋다.

이런 척추의 변형은 오다리, X 다리로도 이어지며 우리의

'숨은 키'도 발생시킨다.

즉 본인의 키가 150cm다 라고 가정한다면 2cm 가량을 숨겨버려 148cm가 된다는 의미다.

그래서 성인도 체형교정하면 키가 일시적으로 크는 이유가 여기에 있다.

우선 너무 깊은 이야기를 하다 보면 보시는 분들이 이해하기 어렵기 때문에 본인의 체형을 판단할 수 있는 세 가지 기준과 해당 체형에 알맞은 운동방법을 소개하겠다.

첫 번째로 척추 후만증이다.

척추 후만증은 일반적으로 '굽은 등'이라고 알려져 있다.

과도하게 등이 굽고 어깨가 안으로 말렸으며 위로 올라가는 목은 '일자목' 또는 '거북목'으로 점차 변형된다.

목이나 어깨가 자주 결리는 기분이 들거나 가끔 공부하다 손이 저린 현상이 있다면 이런 체형을 의심해 볼 수 있다.

원인으로는 스마트폰 보는 습관 또는 지나치게 많은 학업량으로 인해 변형된다고 알려져 있지만,

실제 가장 큰 원인은 베개를 베는 습관이 잘못되어 발생되었을 확률이 높다
베개를 높은 베개를 베거나 낮은 베개를 베는 행동은 좋지 못하다.

그렇기에 '목베개'로 바꾸면 그 행동교정만으로도 50% 이상은 체형을 다시 되돌릴 수 있다.

그 외에 운동으로는 등 쪽 근육이 많이 굳은 상태이기 때문에 팔굽혀펴기도 좋지만 턱걸이와 같은 운동을 자주 해주어 등 쪽 근육을 자주 자극해 주는 것이 좋다.

이유는 등 쪽 운동을 통해 등 쪽 근육이 파열되고 회복되는 과정에서 근육의 질이 좋아지고 많이 이완되기 때문이다.

두 번째는 바로 척추 전만증이다.

'척추전만증'은 일반적인 특징은 오리궁둥이 형태를 띠고 있고 뱃살이 없을 때도 간혹 "배 나와 보인다"라는 오해를 받곤 한다.

물론 비만이어서 과도하게 배가 나오는 경우도 해당된다.

척추 전만증의 원인은 '척추 후만증'에서 허리 쪽이 앞쪽으로 과하게 휘며 발생된 변형이라고 보면 이해하기 쉽다.

두 번째 원인으로 허리 쪽의 근육과 배쪽 근육은 서로 길항작용(한쪽이 수축하면 반대쪽이 이완되는 현상)을 하는데 이때 허리와 배 근육의 밸런스가 무너질 경우에도 발생된다.

즉, 배근육 보다 허리 쪽의 근육이 강하다는 이야기다.

그래서 비만인 사람들에게서(뱃살이 많이 나와) 많이 볼 수 있지만 때론 마른 사람에게서도 배와 허리 근육의 밸런스가 무너질 경우 발생될 수 있다.

이런 체형은 허리 쪽에 통증이 발생될 수 있고 골반까지 영향을 주기에 다리 쪽도 변형될 수 있다.

이러한 악영향이 바로 숨은 키를 발생시키고 더불어 허리 통증도 만들어낸다.

그렇기에 전만증 같은 경우는 같은 보디 웨이트 운동을 해도 팔굽혀펴기와 복근 강화 운동을 중점으로 하는 것이 좋고 허리 쪽 척추기립근이 강화되는 '브릿지'와 같은 동작은 하지 않는 것이 좋다.

물론 영원히 하지 말란 의미가 아니다. 체형이 어느 정도 개선될 때까지 허리 운동을 하지 않는 것이 좋다.

이렇게 전만증은 척추후만증에서 이어진 경우기 때문에 후만증에 도움 되는 운동 또는 베개를 베는 습관까지 같이

해주면 매우 좋다.

이처럼 후만증에서 전만증으로 이어지는 경우가 흔한데 간혹 반대되는 체형으로 이어지는 일도 발생된다.
그것이 바로 '요추 후만증'이라고 불리는 체형이다.

요추 후만증은 전만증과 반대로 과도하게 허리 쪽으로 척추가 뒤로 밀린 체형을 말한다.

원인적으로는 전만증과 반대기 때문에 허리보다 배근육이 강해서 밀린 경우가 흔하고 일반적으로 복근이 강하지 않더라도 본인의 허리 근육보다는 복근이 강하고 허리 근육이 너무 약하기 때문에 발생되기도 한다.

그리고 간혹 운동을 자주 하는 사람들 중에서도 허리 운동은 하지 않고 복근 운동만 강하게 하는 경우도 종종 발생되곤 한다.

이 체형도 똑같이 허리 통증을 자주 느끼게 되며 특징적으로는 일자허리 또는 허리가 평평해 보이는 특징이 있고 전만증과 반대되는 골반 경사를 이루기 때문에 엉덩이가 아래로 향하게 된다.(간혹 엉덩이 없다는 소리를 자주 듣는 체형)

그리고 이런 체형도 전만증과 같이 골반에 영향을 줌으로 다리의 변형이 발생된다.

개선방법의 운동은 전만증의 반대되는 개념이라고 생각하면 좋다.

허리와 배의 밸런스를 맞추기 위해 허리 쪽 운동을 자주 해주고 복근 운동은 되도록 피하는 게 좋다.

팔굽혀펴기도 간접적으로 복근이 강화됨으로 피하는 게 좋고 이런 체형은 브릿지 동작과 턱걸이 운동이 효과적이라고 볼 수 있다.

그리고 앞서 말한 것처럼 자신의 다리가 오다리 또는 X

다리 또는 팔자 다리라면 다리 쪽의 밸런스를 생각하는 것도 맞지만 그것 이전에 골반의 정상화가 매우 중요하며 위 체형별로 자신의 체형이 어떤 것 인지 인지하고 해당 운동을 해주면 자연스럽게 다리도 교정된다.

(그러면서 다리 쪽 전체 이완 마사지도 같이 하면 아주 효과적이다.)

자 마지막으로 가장 어려운 '척추 측만증'에 대해서 말하자면 척추측만증은 사람이 정면에서 봤을 때 척추가 양옆으로 휘는 증상을 말한다.

이런 모습이 한번 휘었냐 두 번 휘었냐에 따라 원 커브, 투 커브라고 이야기하고 휜 각도에 따라 심각성이 달라진다.
(각도가 클수록 당연히 안 좋다는 이야기)

척추 측만증은 대게 선천적으로 발생된 경우가 많지만 요즘엔 후천적으로 발생되는 경우도 매우 많다.

원인적으로는 골반의 불균형이 위로 올라가는 척추를 휘

게 만들고 휜 척추를 따라 양옆의 근 밸런스를 무너트린다.

그리고 이런 척추 측만증은 근 밸런스의 문제만이 아닌 신체 내 장기도 눌려 간혹 소화가 안 되거나 섭취한 음식이 역류하기도 한다.

그래서 일단 해결 방법을 말해주기 전에 이런 체형은 본인이 잘못 판단해 잘못 운동할 경우 더 휘어 버리는 문제가 있기 때문에 전문가의 도움을 받길 권장 드린다.

하지만 그래도 "내가 스스로 해보겠다."라는 사람이 있을 수 있음으로 그나마 안전한 방법을 기재하도록 하겠다.
척추 측만증은 우선 골반의 정렬이 매우 중요하다.

이유는 1차적인 이유이기 때문이다.

골반의 정렬 스트레칭을 자주 해주는 것이 좋고 방법은 검색 사이트에 골반 정렬 스트레칭을 검색해보면 나오는 동작들 아무거나 자주 해주면 좋다.

그리고 두 번째 척추가 휜 방향대로 근육의 경직되어 자신의 왼쪽, 오른쪽 근육의 밸런스가 다른데 옆 사람이 양손으로 왼쪽 오른쪽을 함께 대보면 어느 쪽 이 경직되었는지 확연히 알 수 있다.

그렇게 경직된 부분을 타인의 도움을 받아서 자주 마사지해줘도 좋고 그런 상황이 안 된다면 우선 경직 근육 부위를 파악 후 본인이 스스로 셀프 마사지를 해줘도 좋다.

셀프 마사지 방법은 유튜브 채널 "미스터더커"에 소개되어 있으니 보시고 따라 하면 좋다.

그리고 세 번째로 이런 체형은 코어 근육이 매우 약하거나 밸런스가 맞지 않다.

그래서 전체 코어 중심의 운동을 하는 것이 좋다.

코어란? 뼈와 뼈 사이에 있는 근육을 이야기한다.

보디 웨이트 동작 중에서는 스쿼트와 같은 동작이 대표

적인 전체 코어 중심운동이다.

일각의 시각에서는 측만증이 스쿼트 하면 더 틀어진다고 하는데 절대 그렇지 않다.

이유는 운동 전에 마사지와 골반 정렬을 같이 병행하기 때문이다.

물론 위 방법 말고 더 효과적인 운동 '슈로스'라는 운동이 있지만 굉장히 높은 전문지식을 요구하며 해당 운동은 본인이 잘못 판단하고 진행할 경우 더 휘게 되는 참사가 발생될 수 있으니 저자가 소개한 것처럼 안전한 방법으로 진행하길 바란다.

그리고 이런 체형은 말 안 해도 숨은 키가 당연히 있다는 것을 인지하게 될 것이다.

체형을 되돌리면 숨은 키도 찾을 수 있고 키 성장도 도모할 수 있다.

이 외에도 많은 체형적인 요소가 있지만 전문가가 아닌

일반인 시각에서 알 수 있도록 대표적인 체형을 소개하였다.

그리고 이런 체형을 계속 지니고 있을 경우 앞서 소개한 육체적인 스트레스가 커 정신적인 스트레스로도 이어지고 올바른 휴식도 되질 않아 숙면도 방해하게 된다.

또한 추가로 영양섭취도 방해받으니 꼭 자신의 체형을 인지하고 개선하길 바란다.

여기까지 지극히 기초적인 키 성장 극대화의 중심 원리다.

간혹 이래도 안 크는 경우가 발생되곤 하는데 지금부터 굉장히 특수한 상황이라고 생각해도 좋다.

그리고 본인의 키가 컸더라도 그다음 챕터부터는 건강과도 아주 밀접한 연관이 있기 때문에 꼭 주의 깊게 보시기 바란다.

7.

장 건강

운동부터 체형까지 모두 완벽하게 인지하고 개선했는데도 불구하고 좋아지질 않는 경우가 있다.

그런 경우 왜 그럴까?

바로 장의 문제이다.

키성장 저해 원인을 개선 했는데도 불구하고 안 크는 경우 되물어보면 거의 10이면 10 장문제가 있는 경우가 많다.

장 문제란? 무엇인가??

답은 간단하다 장이 좋지 못해 설사를 자주 하거나 복통이 자주 있거나 변비에 시달리는 사람들을 뜻한다.

장이 왜 중요하냐??

우리의 몸은 장내 균이 모든 걸 좌우한다고 해도 과언이 아니다.

장속에는 '유익균'과 '유해균'이 공존하며 우리 신체 건강을 조절하게 되는데 이때 말 그대로 유익하지 않는 유해균이 많거나 바이러스가가 있거나 '장 누수'가 발생되었을 경우 위처럼 설사하거나 변비가 발생된다.

그럼 단순히 변만 못 보는 거 아니냐?라고 물어볼 수 있는데 저자의 대답은 "아니다."

매우 중요한 문제이다.

우선 장이 좋지 못할 경우 섭취한 영양소가 제대로 흡수되질 못한다.

그렇기에 아무리 양질의 단백질, 지방 등을 섭취해도 그대로 다시 배출되곤 한다.

그리고 두 번째는 면역력이 악화되고 우린 신체적으로 건강하지 못 하게 된다.

특히 장 누수가 발생되거나 장내 유해균이 많은 경우 우린 '자가면역질환'이 발생되게 되는데,

자가면역질환이란? 건강한 세포를 적으로 인식해 신체 내부에서 공격하는 현상의 질환을 말한다.
자가면역질환은 우리의 키 성장을 방해하는 아주 큰 요소이다.

그렇기 때문에 체형까지 모든 걸 인지했는데도 불구하고 자신의 키가 잘 안 자란다 생각이 든다면 우선 장 건강이 괜찮은지 먼저 체크하길 바란다.

체크는 간단하다 평상시 대변은 잘 보는지? 변비가 있진 않는지? 체크해 보라는 이야기다.

그래서 체크해보니 “난 괜찮은 것 같다.”라는 사람도 있고 “장문제가 맞다."라는 사람도 있는데 이 문제는 기타 질환으로도 이어지니 기타 질환을 이야기하며 하나씩 짚어보도록 하자

이번 챕터는 장의 중요성을 강조한 것이다.

8.

기타 질환

장이 좋지 못하면 장누수가 발생될 수 있고 바이러스 감염이 문제 될 수 있다고 하였는데 이것은 '자가면역질환'으로 이어지는 아주 최악의 결과를 만든다고 하였다.

그럼 키 성장에 영향을 주는 자가면역질환으로는
어떤 것이 있는지 하나씩 보겠다.

1). 아토피

아토피 증상은 피부 가려움증을 이야기하는데 아토피가 있을 경우 많은 사람들이 안 좋은 주변 환경 때문에 또는 환경호르몬 때문이라는 이야기를 한다.

물론 틀린 말은 아니지만 그것 이전에 섭취하는 음식에 문제가 있어 발생되었고 장이 좋지 못하는 경우 아토피로 이어지기도 한다.

장의 건강은 피부로 나타나기 때문이다.
아토피가 있을 경우 운동에도 많은 제약이 따르지만 특히 음식 선택의 폭도 낮아지고 올바른 휴식이 전혀 되질 않는다.

피부가 가려워 긁느라 제대로 숙면을 취하기 어렵기 때문이다.

이런 악순환은 키 성장 저해 요인으로 발생된다.

2). 호흡기 질환
천식, 알레르기 비염 등과 같은 호흡기 질환은 면역력이 낮은 경우가 많다.

이 면역력이 낮은 원인으로 아토피와 마찬가지로 장 건강에 의해 발생된 경우가 많다.

호흡기 질환은 자체만으로도 에너지 낭비가 너무 심하며 특히 운동하는데 제약이 많이 따르고 환절기 때마다 더 신체를 괴롭히기 때문에 숙면에도 큰 영향을 주게 된다.

그렇기 때문에 자신이 호흡기 질환이 있다면 꼭 개선해야 된다.

"감기에 자주 걸린다?" 라면 이 문제도 같다고 보면 좋다.

3). 히스타민 과민반응

간혹 어느 사람들을 보면 알레르기반응 때문에 음식을 많이 가려 섭취해야 되는 경우가 있다.

특히 안 맞는 음식을 섭취할 경우 얼굴이 붓거나 피부에 트러블이 일어나곤 하는데 우리는 이런 현상을 '알레르기 반응'이라고 이야기한다.

이걸 전문 용어로 히스타민 과민반응이라고 이야기하는데 히스타민 과민반응 또한 장 건강이 악화되거나 선천적으로 장이 좋지 못할 때 발생되곤 한다.

이런 히스타민 과민반응 때문에 키 성장에 좋다는 음식도 먹지 못하는 경우가 종종 있고 음식도 되도록 안 먹어야 되는 상태로 이어지게 된다.

그런 경우 영양에서 설명한 키 성장 재료가 많이 부족하게 되는 것이다.

그럼 키 성장에 영향을 미치는 대표적인 자가면역질환에 대해 알아보았는데 필자가 계속 이야기하는 장 건강은 어떻게 좋아질 수 있는 것일까?
우선 가장 먼저 해야 될 일은 정제 탄수화물의 섭취를 금지하는 것이 좋다.

면, 빵, 과자 등과 같은 정제 탄수화물은 '글루텐'이라는 성분도 문제가 되지만 히스타민 과민반응을 더 악화시키는 요인이 있고 영양 불균형을 초래한다.

또한 영양 중 비타민, 미네랄의 결핍을 만들며 이런 상황을 더 악화 시킬 수 있기에 정제 탄수화물보다 자연식품을 선호해야 된다.

그리고 두 번째는 설탕의 섭취를 금지해야 된다.

이유는 설탕과 같은 단당류의 섭취는 장내 유해균의 증식을 돕고 이는 장내 환경을 파괴하는 주범이 되기도 한다.

그리고 세 번째는 인공감미료 섭취를 금지해야 된다.

간혹 설탕 먹으면 안 된다고 하니 제로콜라, 로우 슈거 같은 탄산음료를 섭취하는 경우가 있다.

이런 음료수는 설탕이 없지만 인공감미료(아스파탐, 수크랄로스)와 같은 성분이 함유되어 있으며 이런 인공감미료는 장내 유익균을 몰살 시킨다.

특히 조심해야 되는 것은 탄산음료 외에도 에너지 드링크 제품 노슈거 제품에도 많으니 꼭 유의해야 된다.

우리가 장 건강 해지려고 유산균 섭취하고 식이섬유 섭취해도 인공감미료를 자주 섭취한다면 밑 빠진 독에 물 붓기를 하는 것과 같다.

네 번째는 자신에게 맞는 유익균을 섭취하는 것이다.

'프로바이오틱스'를 우리나라 말로 '유익균'이라고 지칭하며 신체를 이롭게 하는 균이라고 생각하면 좋다.

보통 우리나라는 유익균 하면 유산균으로 생각하는 경우가 많은데 실제로는 유산균은 유익균의 한 종류이다.

유산균 말고도 '낙상균' 이라는게 존재하며 그 종류는 매우 다양하다.

여러분들이 광고에서 많이 본 락토, 비피도 등등 라는 것

들도 프로바이오틱스의 종류 중 하나라고 생각하면 편하다.

그런데 "딱 어느 제품이 좋다!"라고 말하기엔 어렵다.

이유는 다음과 같다.

사람은 태어나면서 본인이 가지고 태어나는 균의 종류가 다르다.

그건 이 글을 보는 사람과 본인의 부모님도 다르다는 이야기다.

그렇기 때문에 본인이 가지고 태어난 균이 아닌 다른 종류의 균을 섭취하게 된다면 내 신체는 아무리 좋은 '유익균'이라고 할지라도 적으로 간주하며 공격하게 된다.

그렇기에 본인에 맞는 제품을 찾아야 되는데 이것도 사실 제품을 섭취하기 전에 음식으로 섭취하는 것이 좋다.

우리나라 음식으로는 젓갈, 김치와 같은 발효음식이 있

으며 이런 것 들을 섭취해도 개선이 안 된다면 여러분들이 여러 '프로바이오틱스' 제품들을 섭취해 가며 자신에게 맞는 균의 제품을 찾는 것이 좋다.

다만 되도록 당이 함유된 제품은 피해라.

선택의 요령으로는 섭취하였더니 설사하거나 복통이 잦다면 맞지 않는 제품이라고 생각하면 된다.

다섯 번째는 프리바이오틱스의 섭취다.

'프리바이오틱스'란? 프로바이오틱스(유익균)의 먹이가 되는 영양소라고 보면 좋다.

저자는 앞서 프로바이오틱스(유익균) 관련 음식이나 제품을 섭취하라고 권유하였는데 사실상 장까지 도달되기에는 아직 기술력으로 부족한 경우가 많다.(아무리 코팅되었다 한들) 또한 자연 발효식품도 열을 가하면 파괴되는 경우도 많다.

그리고 보충 식품으로는 유통과정에서 균이 소멸되는 경우도 흔하게 발생된다.

그래서 프로바이오틱스 섭취도 좋지만 자신이 원래 가지고 태어난 균들을 활성화시키는 것이 더 효과적 일수가 있다.

원래 가지고 있던 균들의 활성화를 시키는 것이 바로 유익균의 먹이를 주는 것.

그 이름이 프리바이오틱스고 식이섬유, 올리고당이 이에 해당한다.

이것 또한 자연식품으로 섭취하는 것이 가장 좋으며 채소에 많이 함유되어 있다.

다만, 이것도 사람마다 맞는 프리바이오틱스가 달라서 "뭐가 좋다!" 딱 말하기 어렵다.

아무리 자연식품이라도 이 음식 저 음식 섭취하며 찾아

야 되고 보충 식품 일지라도 “차전가피가 좋다” “귀리 식이 섬유가 좋다”가 아니라 자신에게 맞는 식이섬유가 어떤 것인지? 섭취해가며 찾아야 된다.

맞지 않는 식이섬유를 섭취할 경우 장내에서 식이섬유가 부패되며 배에 가스 차는 현상이 일어나거나 설사를 하게 된다. 이럴 경우 다른 음식이나 제품을 찾도록 해야 된다.

그런데 또 반대로 식이섬유를 섭취해야 된다고 하니 처음부터 과하게 드시는 경우가 있는데 이는 자신에게 맞는 식이섬유를 섭취해도 부작용이 발생될 수 있으니 처음부터 과하게 드시지 말고 천천히 양을 늘려가는 것이 매우 중요하다.

자 위 사항만 지켜도 우리는 장을 개선할 수 있고 이 외에도 충분한 비타민과 미네랄 섭취를 해주는 것이 도움 된다고 생각하면 좋다.

이 외에 비타민, 미네랄에 대한 자세한 정보는 네이버 카

페 '힐링 더 시크릿' 또는 책 '소금과 같은 지방'에서 정보를 얻을 수 있으며 유튜브 채널 '미스터더커'에서도 더 깊은 내용을 이야기하도록 하겠다.

내용을 여기서 끝맺는 이유는 "비타민C가 무슨 일을 하네?" "마그네슘은 어떤 역할을 하네?"라고 알지 못해도 큰 틀에서 길을 안내하였기 때문에 위 사항만 잘 지켜도 우리는 키를 극대화할 수 있다.

끝으로

지금까지 키 성장에 있어 가장 중요한 요소부터 차례대로 짚어가며 본인 스스로 어떤 상황인지 체크하고 개선할 수 있는 방법에 대해 기재하였다.

여러분들은 지금 누군가가 7년 이상 키 성장에 대해 연구한 내용을 아주 편리하게 접하고 있단 사실을 명확히 기억해야 된다.

“내가 이랬더니 키가 컸다?" 라는 게 아닌 많은 사람들의 키 성장 솔루션 프로그램에서 발생된 시행착오를 통해 만들어진 정보다.

너무 어렵게 생각하지 말고 책의 내용 순서대로 차례대로 짚어나가고 그 순서를 본인의 맘대로 뒤집으면 안 된다는 이야기를 전하고 싶다.

이 책이 여러분들에게 길을 안내하는 내비게이션처럼 키 성장의 지름길을 안내하는 책자가 되었으면 좋겠고 키 외에도 여러분들은 행복한 삶을 살아야 되기 때문에 유튜브 채널 '미스터더커'를 통해 건강도 지키고 행복한 삶을 살 수 있는 많은 정보를 얻길 바란다.

그리고 한 가지 바램은 이 책을 통해 키 성장에 성공했다면 네이버 카페 '힐링시크릿키'에 본인의 후기를 남겨 주어 많은 이들에게 희망을 전파해 주길 요청드린다.

당신의 후기가 누군가에게 희망이 된다.

끝으로 이 말을 전하며 마무리하고 싶다.

당신은 키 성장 때문에 이 책을 접했지만 당신의 키가 당신의 행복을 좌우하진 않는다.

꼭 남이 바라보는 시각이 아닌 자신을 위해 살길 바란다.

그것이 나를 위하는 진정한 방법이고 행복할 수 있는 방법이다.

당신에게 축복을 전한다.

- 2020년11월 서재에서 저자 김태성(미스터더커)